ANIFEILIAID ANWES

Gan Lisa Stock
Addasiad Catrin Wyn Lewis

RILY

www.rily.co.uk

Golygydd y testun gwreiddiol Lisa Stock
Dylunydd Toby Truphet
Cynhyrchydd cyn-gynhyrchu Siu Yin Chan
Cynhyrchydd Louise Minihane
Rheolwr Golygu Elizabeth Dowsett
Rheolwr Dylunio Ron Stobbart
Rheolwr Cyhoeddi Julie Ferris
Cyfarwyddwr Cyhoeddi Simon Beecroft

DK DELHI
Is-olygydd y testun gwreiddiol Gaurav Joshi
Is-olygydd Celf Pranika Jain
Golygydd Celf Divya Jain
Dirprwy Rheolwr Golygu Chitra Subramanyam
Dirprwy Rheolwr Golygydd Celf Neha Ahuja
Dylunydd DTP Umesh Singh Rawat
Uwch Ddylunydd DTP Jagtar Singh
Rheolwr cyn-gynhyrchu Sunil Sharma

Ymgynghorydd Darllen
Maureen Fernandes

Addasiad Cymraeg gan Catrin Wyn Lewis

ISBN 978-1-84967-396-9

Cyhoeddwyd yn wreiddiol yn Saesneg yn 2014 dan y teitl LEGO Friends: *Perfect Pets*
gan Dorling Kindersley Ltd, Cwmni Penguin Random House.

Cyhoeddwyd gan / Published by:
Rily Publications Ltd, P.O. Box 257, Caerffili, CF83 9FL
Cymru, United Kingdom

Mae'r cyhoeddwyr yn cydnabod cefnogaeth ariannol Cyngor Llyfrau Cymru.

Mae cofnod catalog CIP o'r llyfr hwn ar gael o'r Llyfrgell Brydeinig.

Argraffwyd a rhwymwyd yn China.

www.LEGO.com

Cynnwys

Croeso i Abercalon

Dyma Mia, a dyma Siôn, y ci bach.

Bore da, Mia a Siôn!

Mae Mia yn hoffi anifeiliaid

yn fawr iawn.

Wyt ti'n hoffi

anifeiliaid?

Mae Siôn yn cysgu mewn cwb.

Ffrindiau Mia yw Lili, Ela, Sara ac Andrea.

Mae ffrindiau Mia yn hoffi anifeiliaid hefyd.

Wyt ti eisiau cwrdd â ffrindiau Mia?

Beth am gwrdd â'r anifeiliaid anwes hefyd?

Jac

Dyma Jac, y gwningen lwglyd!

"Wyt ti eisiau moron, Jac?"

Mae Andrea yn rhoi moron i Jac.

Mae Jac wedi gwneud llanast
wrth fwyta moron!

Beth mae Andrea yn ei wneud?

Mae Andrea yn glanhau cwt
Jac â'r brwsh!

Casi

Ci bach yw Casi.

Mae Lili a Mia yn dysgu
Casi sut i wneud triciau.

Mae Casi yn hoffi chwarae
pêl-droed gyda Sara.

GOFALU AM ANIFEILIAID ANWES

Mae gofalu am anifeiliaid yn bwysig iawn.

Dyma rai camau i dy helpu:

Mae anifail anwes angen:

 bwyd a diod.

✓ gwely.

✓ ymarfer corff.

 cariad a sylw.

Paid byth â:

 rhoi bwyd pobl iddo.
Gall hyn ei wneud yn sâl.

 anghofio mynd â fe
at y milfeddyg.

 gadael dy anifail ar ei
ben ei hun yn rhy aml.

 rhoi bath yn
rhy aml iddo.

Owen a'r milfeddyg.

Gwyn

Oen bach newydd yw Gwyn.

Mae Gwyn yn hoffi chwarae

tu allan yn y baw!

"Wyt ti eisiau bath, Gwyn?"

Mae Sara yn rhoi bath i Gwyn.

Nel

23, Heol Hir,

Tre Haf

Dyma lun o Celyn.
Mae hi mor bert!

45, Stryd yr Afon,
Abercalon

12 Mehefin

Annwyl Nel

Mae ebol newydd gyda ni yn Stablau Abercalon!

Celyn yw enw'r ebol. Mae hi'n bythefnos oed.

Mae Celyn yn gryf erbyn hyn. Mae Celyn yn tyfu'n gyflym, ac mae hi'n hoffi trotian a charlamu.

Rydw i'n gweld Celyn bob bore a nos.

Oes gennyt ti anifail anwes?

Hwyl,
Lili

Malan a Macs

Cath hapus yw Malan.

Mae Malan yn gweld

y pysgodyn blasus.

Iym!

Ci bach prysur yw Macs.

Mae Macs yn gweld yr asgwrn blasus!

Iym!

Cochyn

Ceffyl hardd yw Cochyn. I ble mae Sara a Cochyn yn mynd heddiw? Mae Sara a Cochyn yn mynd i Sioe Geffylau.

Mae helmed a siaced
smart gan Sara.
Wyt ti eisiau gweld Sara
a Cochyn yn y Sioe Geffylau?

BLOG
ABERCALON

Cwrdd â Cochyn a Sara

Dyma Sara a Cochyn. Ceffyl Sara yw Cochyn. Mae Sara a Cochyn yn ffrindiau gorau. Bob blwyddyn, mae Sara a Cochyn yn hoffi mynd i weld Sioe Geffylau Abercalon. Eleni, mae Sara a Cochyn yn cystadlu!

"Rydw i'n edrych ymlaen at y Sioe Geffylau!" meddai Sara. "Mae Cochyn a fi yn edrych ymlaen at gystadlu. Mae Cochyn a fi yn gallu trotian yn hardd a neidio dros y clwydi." Mae'n rhaid i Sara a Cochyn ymarfer bob dydd cyn y Sioe Geffylau. Pob lwc, Sara! Pob lwc, Cochyn! Pob lwc i chi'ch dau!

SALON
Abercalon

TALEB
Bath a brwsho
am ddim!
Cod ar-lein: 256A

Gwen

Pŵdl pert yw Gwen.

Mae Gwen yn hoffi cael bath.

Dyma Gwen yn mwynhau ac
ymlacio yn y bath.

Edrych ar goron borffor Gwen!

Smart iawn!

Mae Gwen eisiau mynd
am dro i'r parc.

Gofalus, Gwen!

Paid trochi!

Salon

Abercalon

Swigod bath

Siampŵ

Clipiau gwallt

Rhuban

Dŵr

Brwsh gwallt

Til

Sychwr gwallt

Trît

Blodau

Asgwrn

Tŷ Adar

Blodwen

Cwningen glyfar yw Blodwen.
Mae Blodwen yn gwneud triciau
hud gyda Mia.

Mae Blodwen yn eistedd

ar y beic gyda Sara.

I ble mae Blodwen a Sara yn mynd?

Bel

Ceffyl Mia yw Bel.

Mae Mia yn hoffi

gofalu am Bel.

Beth sy'n bod ar Bel?

Mae'n rhaid i Mia fynd

â Bel at y milfeddyg.

Y MILFEDDYG

Gwaith y dydd

Milfeddyg yw Rhian.

Mae Rhian yn gofalu am anifeiliaid sy'n sâl.

Mae Rhian yn gweld beth sy'n bod ar yr anifail, yna mae hi'n gwella'r anifail.

Enw	Casi
Anifail	Ci
Lliw	Brown
Beth sy'n bod	Coes dost
Sut i wella	Plastr a gorffwys

Enw	Owen
Anifail	Draenog
Lliw	Brown a hufen
Beth sy'n bod	Llygad tost
Sut i wella	Eli llygaid

Enw	Swyn
Anifail	Ceffyl
Lliw	Brown tywyll
Beth sy'n bod	Peswch
Sut i wella	Moddion

Enw	Lwcus
Anifail	Cwningen
Lliw	Llwyd
Beth sy'n bod	Pawen dost
Sut i wella	Eli arbennig

Ar y Fferm

Mae mam-gu a thad-cu Mia yn byw ar fferm. Mae Mia a'i ffrind Siân yn hoffi helpu ar y fferm.

Pa anifeiliaid sy'n byw ar fferm
yr Hafod?

Mae hi'n swnllyd iawn yma!

Mae Mia a Siân yn hoffi eistedd
o dan y goeden afalau.

Gweithio

Beth am helpu ar y fferm?

Mae llawer o waith pwysig i'w wneud.

Mae Siân yn hoffi rhoi moron i'r cwningod.

Mae Mia yn mynd i weld yr iâr.

Oes digon o wyau i frecwast,
Mia?

Arian ac Aur

Cath gyfeillgar yw Arian.

Mae Arian yn hoffi

chwarae yn y tŷ coeden.

Aderyn pert yw Aur.

Mae Aur yn hoffi canu.

Mae'r merched

yn gofalu am

Arian ac Aur.

Gofalu am Rob

Mae cael anifail anwes yn hwyl, ond mae gofalu am anifail anwes yn waith caled! Dyma Rob y robot. Mae Lili wedi adeiladu Rob. Mae gofalu am Rob y robot yn hawdd!

Bwrdd sialc
Er mwyn ysgrifennu pethau pwysig am Rob.

Peiriant llaw
Er mwyn rheoli Rob.

Binocwlars
Er mwyn i Rob weld yn bell.

Batri
Er mwyn i Rob symud.

Offer
Er mwyn trwsio Rob.

Olew
Er mwyn helpu Rob i symud yn hawdd.

Oriel yr Anifeiliaid

Oriel luniau Mia yw hon.

Dyma Ela yn brwsio Gwen.

Dyma Lili yn rhoi bath i Arian.

Dyma Mia yn golchi Bel.

Dyma Sara yn
siarad â Gwyn.

Dyma Andrea yn
glanhau cwt Jac.

41

Cwis

1. Pwy sy'n gofalu am Jac?

2. Beth yw enw'r oen
   bach newydd?

3. Pwy sy'n gweld asgwrn blasus?

4. Pwy sy'n cystadlu yn y Sioe Geffylau
   gyda Sara?

5. Ble mae Gwen
   yn cael bath?

6. Pwy sy'n gwneud triciau gyda Mia?

7. Pa anifeiliaid sy'n gwneud
   sŵn ar fferm yr Hafod?

8. Pwy sy'n hoffi rhoi moron i'r
cwningod ar fferm yr Hafod?

9. Ble mae Arian y gath
   yn hoffi chwarae?

10. Beth mae Aur yr aderyn
    yn hoffi ei wneud?

Atebion ar
dudalen 45

Geirfa

anifail animal
anifeiliaid animals
anifeiliaid anwes pets
asgwrn bone
batri battery
baw dirt
beic bike
binocwlars binoculars
blasus tasty
blodau flowers
brwsh gwallt hairbrush
bwrdd sialc chalk board
bwyd a diod food and drink
canu to sing
cariad a sylw love and attention
carlamu gallop
cath cat
ceffyl horse
ci dog
clwydi jumps/ hurdles
coron crown
cysgu sleep
cystadlu to compete
cwb kennel

cwningen rabbit
cwrdd to meet
cwt hutch
digon enough
ebol foal
eistedd to sit
eli cream/ ointment
er mwyn in order to
fferm farm
ffrindiau friends
gofalu to look after
gofalus careful
y goeden afalau the apple tree
gorffwys rest
yn gryf strong
gwely bed
gweithio to work
yn gyflym quick
hardd beautiful
hud magic
hufen cream (colour)
iâr chicken
llanast mess
moron carrots
milfeddyg vet
mwynhau to enjoy

newydd new
oen lamb
offer tools
olew oil
oriel gallery
pawen paw
peiriant llaw remote control
pêl-droed football
peswch cough
pysgodyn fish
rhuban ribbon
sal/t(d)ost ill
swigod bubbles
swnllyd noisy
sychwr gwallt hairdryer
taleb voucher
til till
triciau tricks
trît treat
trochi to become dirty
trotian trot
tŷ adar bird house
tŷ coeden tree house
tyfu to grow
wyau eggs
ymarfer corff exercise
ymlacio to relax

Iaith i ddysgwyr / Language for learners

Sometimes in Welsh the first letter of a word changes, usually because of a word which has come before it. This is called a MUTATION (TREIGLAD). Can you spot any mutations in this book? If you know your colours, you may have wondered why 'porffor' (purple) changed to 'borffor' on page 23. It did so because of a mutation rule. Don't worry about these, you will learn all about them as you progress with the language. Please just be aware that you might notice some mutations in this book.

You may have noticed in Lili's letter to Nel, she writes, "Rydw i'n gweld Celyn bob bore a nos." (I see Celyn every morning and night). Often, when people are speaking (in books and in real life!) they will use "Dwi / Dw i" (which has come from "Rydw i"). You might see "Rwy'n" in some books too.
So, "Rwy'n gweld Celyn..."
   "Rydw i'n gweld Celyn..."
and "Dwi'n gweld Celyn..." are all the same.

This book is written mainly in the present tense, so everything is happening as you read it. However, there is one instance when we refer to something that **has** happened, e.g on page 38: "Mae Lili **wedi** adeiladu Rob". This means that Lili has built Rob. If we wanted to say that Lili was building it **now**, we would say "Mae Lili **yn** adeiladu Rob" (Lili is building Rob).

Atebion i'r cwis / Answers to the quiz:

1. Andrea
2. Gwyn
3. Macs
4. Cochyn
5. Salon Abercalon
6. Blodwen
7. Ceffyl, cwningen, iâr a chath
8. Siân
9. Yn y tŷ coeden
10. Canu

Canllaw i rieni

ER MWYN DARLLEN Y LLYFR HWN,
DYLAI'CH PLENTYN FOD YN GALLU:

- Adnabod llythrennau a chyfuniad o lythrennau a'u sŵn, darllen geiriau anghyfarwydd, geiriau lluosog, ynghyd â berfau syml ac ambell ansoddair e.e. lliw.
- Defnyddio'r stori, lluniau a strwythur y frawddeg er mwyn gwirio a chywiro ei ddarllen ei hun.
- Amrywio amseru'r frawddeg yn ôl yr atalnodi; saib ar ôl coma, saib hirach ar ôl atalnod llawn, newid y llais i gydnabod cwestiwn, ebychnod neu ddyfyniad/deialog.

Mae darllen yn gallu bod yn ymdrech fawr ac yn waith caled i rai plant. Gall cefnogaeth a chymorth oedolyn fod o help mawr. Dyma ambell syniad wrth ddefnyddio'r llyfr hwn gyda'ch plentyn.

1. Darllenwch y clawr cefn, a thrafodwch y dudalen gynnwys gyda'ch gilydd cyn dechrau.

2. Cefnogwch eich plentyn wrth ddarllen drwy adael iddo ddal a throi'r tudalennau ei hunan.

3. Anogwch eich plentyn a gofynnwch gwestiynau am yr hyn mae'n ei ddarllen. Mae'r tudalennau ffeithiol ychydig yn anoddach na gweddill y testun, ac fe'ch cynghorir i rannu'r profiad o ddarllen y rhain gyda'r plentyn.

SYNIADAU PELLACH:

- Ceisiwch ddarllen gyda'ch gilydd bob dydd. Ychydig bach yn aml yw'r ffordd orau. Ar ôl 10 munud, does dim rhaid parhau oni bai bod eich plentyn yn awyddus i wneud hynny.
- Anogwch eich plentyn i drio darllen geiriau anodd ei hunan. Cofiwch ganmol eich plentyn pan mae e'n ei gywiro ei hun.
- Darllenwch lyfrau eraill i'ch plentyn er mwyn cynnal a chadw ei ddiddordeb.

Guide for Parents

For many children, reading requires much effort but adult participation and support can help. Here are a few ideas on how to use this book with your child.

1. Read the back cover, and discuss the contents page with each other before you begin.

2. Support your child in their reading through letting them hold the book and turn the pages him/herself.

3. Encourage your child and ask questions about what they have read. The factual pages tend to be more difficult than the story pages, and are designed to be shared with your child.

A FEW ADDITIONAL TIPS:

- Try and read together every day. Little and often is best. After 10 minutes, only keep going if your child wants to read on.
- Always encourage your child to have a go at reading difficult words by themselves. Praise any self-corrections.
- Read other books of different types to your child for enjoyment and to keep them interested.